PIU

I Emma.
C. C.

I holl geiswyr lloches ein byd.
A.K.

Fel gwasg, hoffwn ddiolch yn fawr iawn i Siân Stephen am dynnu ein sylw
at y gyfrol fendigedig *L'abri* ac am ein hysbrydoli i ymgymryd â'r addasiad hwn.
I Annest ac Erwan.
S.S.

Cyhoeddwyd gan / *Published by* Rily Publications Ltd 2020
Rily Publications Ltd, Blwch Post 257, Caerffili CF83 9FL

ISBN 978-1-84967-490-4

Hawlfraint y testun © *Text* Céline Claire
Hawlfraint y darluniau © *Illustrations* Qin Leng
Addasiad Cymraeg gan / *Welsh adaptation by* Aneirin Karadog, 2020
Hawlfraint yr addasiad © *Adaptation* Rily Publications Limited 2020
Cyhoeddwyd yn wreiddiol yn Ffrangeg o dan y teitl *L'abri*, yn 2016. /
First edition 2016. Originally published in French under the title "L'abri".

Cyhoeddwyd gyda chaniatâd / *Published with the permission of* Comme Des Géants inc.,
38, rue Sainte-Anne, Varennes, Québec, Canada J3X1R5

Trefnwyd yr hawliau cyfieithu drwy / *Translation rights arranged through the* VeroK Agency, Barcelona, Sbaen

Mae'r cyhoeddwr yn cydnabod cefnogaeth ariannol Cyngor Llyfrau Cymru /
Published with the financial support of the Books Council of Wales

Céline Claire

Qin Leng

Y Lloches

Addasiad Aneirin Karadog

RILY

rily.co.uk

Mae'n fore. A phan fo'r bore'n effro,
mae cartrefi'n deffro.

Ambell un yn ddiog ...

ac ambell un yn bwyllog ...

Ac eraill yn fywiog!

Ac wrth frecwasta'n frwd,

daw rhai i drydar newyddion yn un ffrwd.

Ond gyda'r gân daw newyddion drwg ...

MAE STORM AR EI FFORDD!
MAE STORM AR EI FFORDD!

Does dim angen poeni! Mae'n bryd ymbaratoi.
Torri'r coed tân. Gwiwera am y gorau. Tawelu ofnau'r tylwyth.

Rhaid chwysu chwartiau, doed a ddelo,
a thorchi llewys, costied a gostio.

Mae pawb yn disgwyl hynt
y storm a'i gormes.
Cwyd Morys a'i wynt
dan chwibanu'n gas.

Ond does dim ots, dim strach, mae pawb yn ei loches.

Hola Cadno Bach: "Beth os oes 'na bobl tu fas?"

Tan wawd hen wynt, trwy'r niwl fe ddaw
dau gysgod yn nes ac yn nes ar y naw.

Trwy ffenestri'u cartrefi sylla'r pentrefwyr.

Pwy yw'r ymwelwyr?

Pam dod i fan hyn?

Am beth wnân nhw ofyn?

Ein cartref?

Ein cinio?

Ein cynilion?

"Mae'r gwynt yn oer ... down ar eich gofyn am ddiferyn o ddŵr.
Rhannwn ein te ger eich tân a'i wres i gael cynhesu."

"Mae'r tân ar farw. Ewch i holi acw."

"Rydym ar lwgu ...
ond down â thipyn o de.
Pe gallech gynnig ambell fisged
fe rannem baned arbennig."

"Does dim bwyd ar ôl yma,
ewch i holi drws nesa."

"Mae'r nos yn ddu ...
os rhannwn ni dipyn o de,
a gawn ni lonni'n calonnau
â golau eich cwmni yn llenwi'r lle?"

"Mae'n dynn fan hyn, ar y naw,
heb le i droi − ceisiwch fan draw."

Ond, er hyn, does dim byd fan draw ...
dim ond y mynydd.

Meddai Brawd Mawr: "Paid â becso.
Bydd ar y mynydd, falle, fwy o groeso."

Tra caman nhw'n drwm yn erbyn y gwynt,
tra dalian nhw 'nghlwm yn ei gilydd yn dynn,
daw llais drwy'r gwyll o'u hôl ...
"Arhoswch!"

Llais Cadno Bach.
Fe ddaw'n ddidwyll â channwyll i'w chynnig.
"Ni lenwa hon yr un bol heno, ac nid yw ei gwres yn gynnes
fel tân, a gwn, wir, go wan yw'r gannwyll."

"Ond mae ei golau'n serennu!"
meddai Brawd Mawr dan wenu.

Oeri mae hi heno ar y mynydd.

Fel oera'r gwynt, tyf Morys farf gwyn.

Cwyd Brawd Mawr law uwch ei ben.

Tyn Brawd Bach ei dafod tua'r nen.

Disgyn a disgyn wna'r eira yn drwch
gan droi'n garped o lwch. Gwena'r eirth ar ei gilydd.
Heno fe gân nhw loches yn rhodd gan y tywydd ...

Ond i'r teulu Cadno mae'n argyfwng.

Lluwchia'r eira yn drymach a thrymach a thrwch
yn pwyso ar do yr hen dŷ. Daw sŵn cracio o bob cornel,
sŵn dymchwel sy'n dod ...

RHAID RHEDEG!

Beth ddaw ohonyn nhw?

"Mae mor oer!" medd Mami Cadno.

"Mae mor ddu!" medd Dadi Cadno.

"Fe welaf olau fan draw!" meddai Cadno Bach.

Gam wrth gam drwy'r eira gwyn, fe glywan nhw
arogleuon sbeisys, sinamon a sinsir ar y gwynt.
O gau llygaid ag anadl ddofn, llenwir eu hysgyfaint â gwên.

Ac fel cyrraedd pen draw'r enfys, cyrraeddan nhw'r golau.

Disgyn a disgyn wna'r eira.

Chwythu a chwythu wna'r gwynt.

Cama Cadno Bach yn ei flaen yn ddewr, gan ddweud:

"Mae'r gwynt yn oer. Mae'r nos yn ddu.
Os rhown fisged neu ddwy i chi,
a gawn ni rannu eich lloches?"

"Nid yw'n llusern yn llachar, na'n lloches ni'n balas
ac ry'n ni'n barod, bron, i glwydo'n glyd.
Ond ein twymo wna'r te yn well na'r un tân,
a beth gwell na bisgedi a chwmni a chân? Croeso! Croeso!"

Ni welwyd lliw hen wyneb y lloer
â'r storm wyntog yn strymio'n ei hanterth,
ond agor drws eu lloches ar noson oer
oedd rhodd y ddau, y ddau oedd yn ddierth.

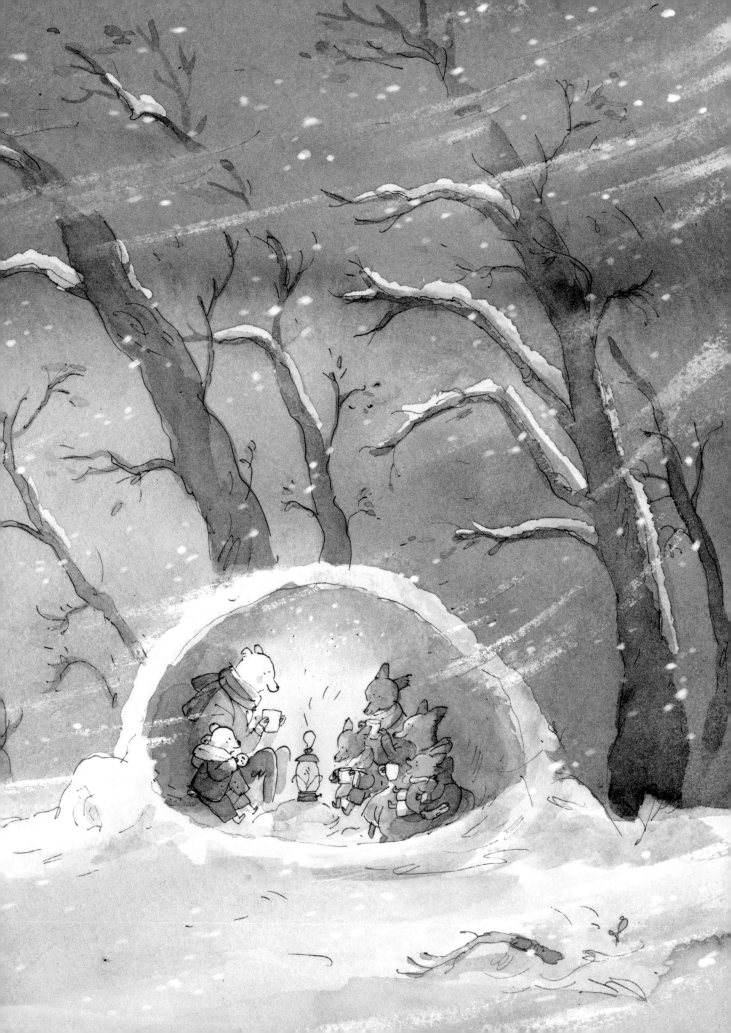